L'INFAILLIBLE

PEANUTS

L'INFAILLIBLE

Traduction de J. DAUBANNAY
CHARLES M. SCHULZ

DARGAUD EDITEUR – PRESSES POCKET

QUE FAIS-TU MAINTENANT?

JE RELÈVE TOUS LES PASSAGES DES SAINTES ÉCRITURES QUI NOUS METTENT EN GARDE CONTRE LES FAUX PROPHÈTES...

JÉRÉMIE, MATTHIEU LUC, JEAN...

TU DOIS Y ÊTRE... J'EN SUIS PRESQUE À LA FIN ET JE N'AI PAS ENCORE TROUVÉ TON NOM...

TU ES PRÊT À JOUER?

OKAY... TOURNONS!

CE N'EST PAS EXACTEMENT CE QUE JE VOULAIS DIRE...

VOICI MA DISSERTATION SUR CLÉOPÂTRE...

TOUTE MA VIE J'AI ADMIRÉ CLÉOPÂTRE...

PUIS, J'AI DÉCOUVERT PAS MAL DE CHOSES SUR SON COMPTE...

ET MON IDOLE S'EST DÉTRUITE!

COMMENT LE TOIT EST-IL COUVERT DE NEIGE ET PAS LUI?

LA NEIGE NE S'ACCRO CHE PAS À UN CORPS CHAUD ET CHOU-CHOUTÉ!

AS-TU DÉJÀ ENTENDU PARLER DE LA "CHIO-NOPHOBIE"? C'EST LA PEUR DE LA NEIGE,

PEUR DE LA NEIGE? COMMENT PEUT-ON ARRIVER À AVOIR PEUR DE LA NEIGE?

POW!

JE COMMENCE À COMPRENDRE COMMENT ÇA PEUT ARRIVER...

J'AI BESOIN DE QUELQU'UN POUR TIRER MA LUGE !

DANS LE BON TEMPS, LES GENS TIRAIENT TOUJOURS LES LUGES DES ENFANTS...

QUE SONT DEVE-NUS TOUS CES GENS ?

AVANCEZ, EN SOUVENIR DU BON TEMPS !

C'EST SON TOUR... QUI SAIT COMMENT IL VA JOUER...

JE PARIE QU'IL EST EN TRAIN D'ÉTUDIER UNE STRATÉGIE BIZARRE... JE SAIS COMMENT TRAVAILLE SON ESPRIT... IL EST INSIDIEUX...

AUJOURD'HUI, LES OURS POLAIRES ONT LEURS PROPRES ENNUIS!

TU N'AS VU AUCUN OURS POLAIRE, PAS VRAI?

BONNE IDÉE... ESSAYE DANS LA DIRECTION OPPOSÉE...

17

MADAME, PUIS-JE REGARDER VOTRE BOÎTE DE PETITES CROIX DORÉES?

WOUAH! REGARDEZ-LES! ELLES BRILLENT TELLEMENT!

LA PROCHAINE FOIS QUE VOUS AUREZ À REPROCHER À QUELQU'UN SES DEVOIRS, MADAME, FAITES-LE MOI SAVOIR...

JE LES LUI FIGNOLERAI!

SCHULZ

VOTRE BOÎTE CONTENANT LES CROIX DORÉES? NON, MADAME, CE N'EST PAS MOI QUI L'AI!

JE L'AI POSÉE SUR VOTRE BUREAU, VOUS VOUS EN SOUVENEZ? JAMAIS JE N'AURAIS PRIS VOTRE BOÎTE DE CROIX D'OR, MADAME...

POURQUOI AURAIS-JE EU BESOIN DE VOLER UNE BOÎTE DE CROIX D'OR?

LA MAÎTRESSE DE GARDE NE VOULAIT PEUT-ÊTRE PAS T'ACCUSER... PEUT-ÊTRE VOULAIT-ELLE SIMPLEMENT TE POSER LA QUESTION...

ÇA, JE NE SAIS PAS... JE CROIS MALGRÉ ÇA AVOIR BESOIN D'UN BON AVOCAT!

" HONORE CE PAYS QUI, DES CHANTS COMPOSE, SANS POUR AUTANT QUE SES LOIS IL IMPOSE "...

JE N'AI PAS VOLÉ LA BOÎTE CONTENANT LES CROIX D'OR, SNOOPY, MAIS JE DÉCOUVRIRAI QUI L'A FAIT...

ÉCOUTE, MON PLAN SECRET EST...

J'ADORE LES PLANS SECRETS!

22

23

24

REGARDEZ CE QUE J'AI TROUVÉ DANS VOTRE CORBEILLE, MADAME... VOTRE BOÎTE DE CROIX EN OR!

JE PARIE QUE VOUS AVEZ PENSÉ QUE L'UN DE VOS ÉLÈVES VOUS L'AVAIT VOLÉE, N'EST-CE PAS?

ILS NE FERAIENT JAMAIS UNE CHOSE PAREILLE... SURTOUT CELLE QUI EST SI MIGNONNE AVEC DE BEAUX CHEVEUX ET DES TACHES DE ROUSSEUR...

ET J'AI TROUVÉ LA BOÎTE CONTENANT LES CROIX EN OR DANS LA CORBEILLE DE LA MAÎTRESSE!

JE SUIS CONTENTE QUE TOUT SE SOIT BIEN TERMINÉ POUR TOI, CHEF...

MÊME SNOOPY A ÉTÉ TRÈS BIEN, ASSIS SUR TON BANC...

IL A MÉRITE D'AVOIR LA CROIX!

AAUGH!

JE NE PEUX PAS ALLER À L'ÉCOLE AUJOURD'HUI... J'AI MAL À L'ÉPAULE DROITE...

S'IL DEVAIT M'ARRIVER D'AVOIR À RÉPONDRE À UNE QUESTION, JE NE POURRAIS MÊME PAS LEVER LA MAIN...

ALLEZ, SORS DU LIT! TU POURRAS TOUJOURS LEVER L'AUTRE MAIN...

TU PRÉTENDS QUE MOI JE RÉPONDE AUX QUESTIONS AVEC LA MAIN GAUCHE?!

28

ALORS, UN AUTRE GARÇON À LUNETTES LUI DIT " SI TU L'AS PAS... PRENDS LE MIEN !"

QU'EST-IL ARRIVÉ APRÈS LE MOT "MIEN" ?

POURQUOI NE VIENS-TU PAS CE SOIR CHEZ MOI REGARDER LA TÉLÉVISION ?

JE FERAI AUSSI GRILLER DU POPCORN ... TU VIENDRAS ?

NON, MERCI !

TU PARLES D'UNE BONNE ANNÉE !

BOOT!

IL S'EST TROMPÉ... UN CHANT D'AMOUR NE RÉSONNE PAS DANS LES ROCHES RUDES...

LES ANNÉES SONT COMME DES PISCINES, CHARLIE...

NOUS SAUTONS DEDANS D'UN CÔTÉ, ET ENSUITE NOUS NOUS DÉBATTONS JUSQU'À CE QUE NOUS ARRIVIONS DU CÔTÉ OPPOSÉ...

COMMENT S'EST PASSÉE TON ANNÉE, CHARLIE?

QUELQU'UN AVAIT VIDÉ LA PISCINE!

Tandis qu'il partait faire la guerre, elle lui cria : "Tiens-toi toujours à l'écart, Bonaparte!

BAH, ELLE AURAIT PU LE LUI DIRE!

CE QUE JE FAIS? J'ENVOIE DES CARTES DE NOËL!

ELLES NE SONT PAS MIGNONNES?

SUR L'UNE D'ELLES, IL Y A UN PETIT LAPIN VÊTU EN PASTEUR...

NE DIS PAS QU'ELLES MANQUENT DE RELIGION!!

39

41

LUI, OUI, IL EST DÉPRIMÉ!

IL VIENT DE SE RENDRE COMPTE QU'IL EST TROP ÂGÉ POUR PARTICIPER À UN TOURNOI DE VÉTÉRANS!

JE T'AI APPORTÉ UNE BOUGIE POUR LE PIANO!

J'AI PENSÉ QUE ÇA APPORTERAIT PEUT-ÊTRE UNE TOUCHE ROMANTIQUE...

MOI, JE TROUVE QUE ÇA AJOUTE VRAIMENT UNE BELLE TOUCHE ROMANTIQUE... TU NE TROUVES PAS QUE ÇA AJOUTE UNE TOUCHE ROMANTIQUE?

JE NE T'ENTENDS PAS AVEC LA BOUGIE QUI BRÛLE...

45

VOUS NE VOULIEZ QUE PLAISANTER, HEIN, MADAME ? C'EST ÇA FORCÉMENT ! NON ? MAIS C'EST PAS POSSIBLE ! AH, VRAIMENT ?

BONNES VACANCES !

NON, VOUS ÊTES EXCLUS !

ON NE PEUT EXIGER QUE LE PAPA NOËL APPORTE DES CADEAUX AUX OISEAUX AUSSI... IL N'A ABSOLUMENT PAS LE TEMPS.

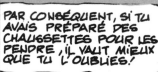

PAR CONSÉQUENT, SI TU AVAIS PRÉPARÉ DES CHAUSSETTES POUR LES PENDRE, IL VAUT MIEUX QUE TU L'OUBLIES !

48

DEVINE, JOUFFLU! CATASTRO-PHE!

LA MAÎTRESSE VEUT QUE NOUS LISIONS UN LIVRE PENDANT LES VACANCES DE NOËL... TU N'AS PAS UNE SUGGESTION?

SUR LE LIVRE À LIRE?

NON, SUR UN MOYEN DE S'EN TIRER!

JE N'AI PLUS À LIRE UN LIVRE, MARCIE!

COMPRIS? JE VIENS DE VOIR " LES VOYAGES DE GULLIVER" À LA TÉLÉ ET AINSI JE N'AI PLUS BESOIN DE LIRE LE LIVRE!

49

LA SEULE CHOSE QUE JE N'AI PAS COMPRISE, C'EST LA SCÈNE SUR LE SHAMPOOING, LE SAVON ET LE CAFÉ...

C'ÉTAIT DE LA PUBLICITÉ, CHEF !

JE VOUDRAIS LIRE CE LIVRE, MARCIE, MAIS J'AI UN PEU PEUR !

J'AVAIS UN GRAND-PÈRE QUI NE TENAIT PAS LA LECTURE EN HAUTE CONSIDÉRATION...

IL DISAIT TOUJOURS QUE SI ON LIT TROP DE LIVRES, ON PEUT EN PERDRE LA TÊTE...

COMMENCE LE PREMIER CHAPITRE, CHEF, ET JE TE TIENS BIEN LA TÊTE !

52

CE COUP D'ENVOI PREND DU TEMPS...

BOOT! BOOT! BOOT! BOOT!

SCHULZ

BON, ENTRAÎNEUR, ON EST PRÊTS! OÙ EST L'AUTRE ÉQUIPE?

JE N'EN SAIS RIEN... J'AI DIT À CHUCK DE VENIR AVEC SES JOUEURS À TROIS HEURES...

VOICI L'ÉQUIPE QUI ARRIVE...

SALUT, CHARLIE... DÉSOLÉE QUE TU AIES PERDU LE MATCH HIER...

JE SUIS SÛRE QUE TU LE REMPORTERAS UNE AUTRE FOIS, CHUCK... C'EST CETTE ÉQUIPE QUE TU AS ENVOYÉE... ILS NOUS ONT BIEN AMUSÉS!

ÉQUIPE?

CE DRÔLE DE TYPE AVEC UN LONG NEZ ÉTAIT FORMIDABLE, ET LES PETITS GARS QUI LE SUIVAIENT AU-DESSUS DE TOUT!

ÇA VA ÊTRE UNE JOURNÉE IMBÉCILE...

ÇA VA ÊTRE UNE DE CES JOURNÉES IMBÉCILES OÙ JE NE DIS QUE DES IMBÉCILLITÉS, NE FAIS QUE DES IMBÉCILITÉS, ET OÙ TOUT LE MONDE ME TRAITE D'IMBÉCILE.

IL ALLAIT VENIR LE CHER- CHER !

JE HAIS L'ÉCOLE !

ÇA ME REND FOLLE !!!

DES QUE J'AI APPRIS UNE CHOSE, ILS CONTI- NUENT AVEC QUEL- QUE CHOSE D'AUTRE

J'AVAIS ENFIN APPRIS OÙ J'ÉTAIS SUPPOSÉE MAN- GER, ET VOILÀ QU'ILS VEULENT QUE JE SACHE OÙ EST MON PUPITRE !

TU SAIS CE QUE JE VAIS FAIRE?

SI TU NE VIENS PAS CHASSER LES LAPINS AVEC MOI, J'IRAI LE DIRE AU PREMIER BEAGLE!

J'ARRIVE! J'ARRIVE!

PERSONNE N'A ENVIE D'ÊTRE DÉNONCÉ AU PREMIER BEAGLE!

65

67

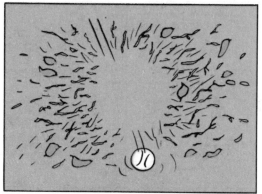

78

89

99

PAUVRE WOODSTOCK...
IL CROYAIT ÊTRE
AU CARNAVAL !

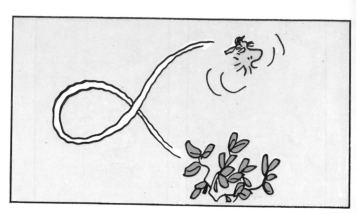

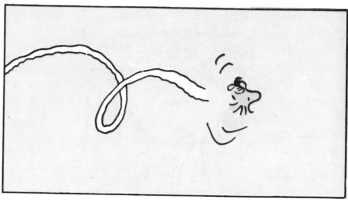

DÉJÀ PARUS DANS CETTE COLLECTION

POCKET B.D.

EDITIONS PRESSES ♥ POCKET
8, rue Garancière 75285 Paris Cedex 06
Tél. (1) 46.34.12.80

Imprimé par I.M.E. - 25-Baume-les-Dames
Dépôt légal : Octobre 1990 - N° imprimeur : 7722